Título original: *La Rut és un belluguet*

Traducción del catalán de Marinella Terzi
Dirección editorial: María Castillo
Coordinación editorial: Teresa Tellechea
Texto e ilustraciones: Roser Rius Camps

Trèvol Produccions Editorials ha contado con el asesoramiento
del psicólogo Luciano Montero.

© Trèvol Produccions Editorials, 2007
© Ediciones SM, 2008 – Impresores, 2
  Urbanización Prado del Espino
  28660 Boadilla del Monte (Madrid)

CENTRO DE ATENCIÓN AL CLIENTE
Tel.: 902 12 13 23
Fax: 902 24 12 22
e-mail: clientes@grupo-sm.com

ISBN: 978-84-675-2422-2
Depósito legal: M-306-2008
Impreso en España / *Printed in Spain*
Imprime: Capital Gráfico S.L.

Ruth
es un torbellino

ROSER RIUS

RUTH ES UN TORBELLINO:
TROPIEZA CON LAS ALFOMBRAS;
SE COLUMPIA EN LAS CORTINAS;
Y JARRONES, PLATOS
Y OTROS CACHARROS
SE ROMPEN A SU PASO.
POCO A POCO,
TODO HA IDO DESAPARECIENDO.
–TENEMOS MÁS COSAS EN
EL TRASTERO QUE DENTRO DE CASA
–SUSPIRA SU MADRE.

POR LA MAÑANA,
COMO TODOS LOS DÍAS,
RUTH SE LEVANTA DE UN SALTO
Y, CON LOS CORDONES DESATADOS,
VA A LA COCINA A DESAYUNAR.
COMO TODOS LOS DÍAS,
TIRA LA LECHE,
DESMIGAJA LAS GALLETAS
Y DEJA LA MANZANA A MEDIAS.

—¡QUÉ SED TENGO!
RUTH ABRE LA NEVERA
PARA SACAR EL AGUA
Y, SIN QUERER,
TIRA EL ENVASE DE LOS HUEVOS.
—UNO, DOS, TRES, CUATRO…
SU MADRE CUENTA HASTA DIEZ
Y PREGUNTA:
—¿NO TE PUEDES ESTAR QUIETA
NI UN MOMENTO?
PERO DECIRLE A RUTH
QUE SE ESTÉ QUIETA
ES COMO PEDIRLE AL SOL
QUE NO SALGA CADA DÍA.

—VAMOS DE COMPRAS —DICE SU MADRE.
EN LOS GRANDES ALMACENES,
UNA DEPENDIENTA ZALAMERA
CONVENCE A SU MADRE DE QUE SE COMPRE
UNA CREMA CARÍSIMA.
—EN CUATRO DÍAS SE ENCONTRARÁ
MUCHO MÁS JOVEN Y GUAPA —LE ASEGURA.

POR LA NOCHE, MIENTRAS PREPARA LA CENA,
LA MADRE DE RUTH SE EXTRAÑA
DE QUE LA CASA ESTÉ TAN SILENCIOSA.
—¡RUTH!
EN UN ABRIR Y CERRAR DE OJOS, RUTH,
HACIENDO CASO DE LOS CONSEJOS DE LA DEPENDIENTA,
HA VACIADO MEDIO BOTE DE CREMA
Y SE LO HA UNTADO POR LA CARA.

—YA SABES QUE NO DEBES TOCAR
LO QUE NO ES TUYO.
—¡ES QUE YO TAMBIÉN
QUIERO ESTAR GUAPA!
SU MADRE CUENTA HASTA DIEZ:
—UNO, DOS, TRES…
DESPUÉS DICE:
—ME GUSTARÍA TENER LOS OJOS
COMO LOS DE LAS MOSCAS
PARA PODER VER TODO LO QUE HACES.

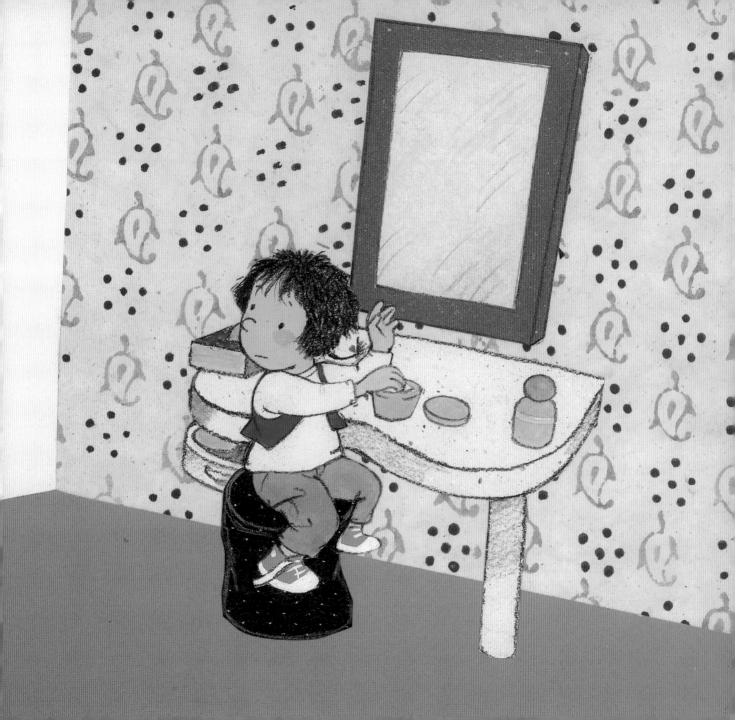

RUTH YA ESTÁ EN LA CAMA.
SUS PADRES, AGOTADOS,
SE DEJAN CAER EN EL SOFÁ.
DE PRONTO, APARECE RUTH
ENVUELTA EN PAPEL HIGIÉNICO
DE LOS PIES A LA CABEZA.
—¡UUUUHHHH! ¡SOY UNA MOMIA! ¡UUHH!
SUS PADRES RESPIRAN HONDO
Y CUENTAN A LA VEZ HASTA DIEZ:
—UNO, DOS, TRES, CUATRO, CINCO…

—LAS MOMIAS YA ESTÁN DURMIENDO
–DICE SU PADRE LEVANTÁNDOLA POR LOS AIRES
PARA LLEVARLA A LA CAMA DE NUEVO.

—¡QUÍTAME LAS VENDAS, QUE ME PICAN!
—GRITA RUTH.
—ENTONCES, ¿POR QUÉ TE LAS HAS PUESTO?
—LE RESPONDE SU PADRE MIENTRAS
SE LAS QUITA CON PACIENCIA.

AL DÍA SIGUIENTE, SU MADRE OYE A RUTH
EN LA TERRAZA.
—¿QUÉ HACES, RUTH?
—¡ESTOY COGIENDO UNAS FLORES PARA TI!
CON SUS TIJERITAS, RUTH HA DEJADO LAS PLANTAS
COMO SI HUBIERA GRANIZADO.

SU MADRE RESOPLA
Y VUELVE A CONTAR:
—UNO, DOS, TRES...
LUEGO, MÁS CALMADA, AÑADE:
—LAS PONDREMOS EN UN VASO.
—ESTARÁN BONITAS, ¿A QUE SÍ?

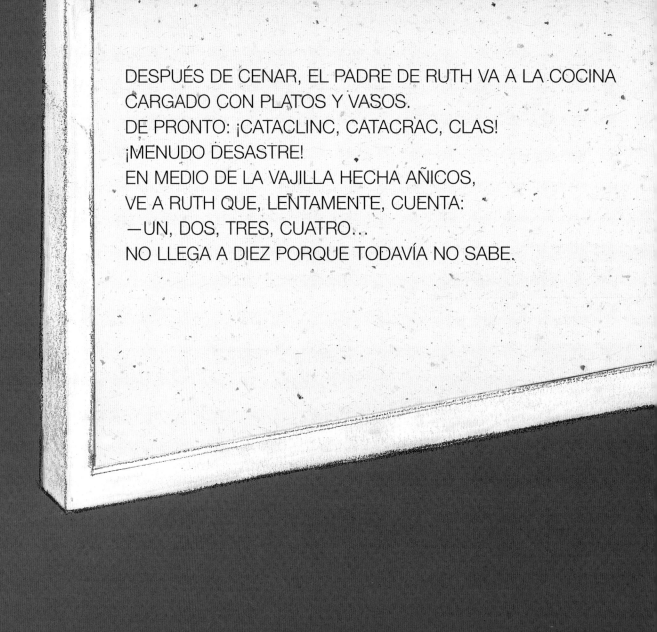

DESPUÉS DE CENAR, EL PADRE DE RUTH VA A LA COCINA
CARGADO CON PLATOS Y VASOS.
DE PRONTO: ¡CATACLINC, CATACRAC, CLAS!
¡MENUDO DESASTRE!
EN MEDIO DE LA VAJILLA HECHA AÑICOS,
VE A RUTH QUE, LENTAMENTE, CUENTA:
—UN, DOS, TRES, CUATRO…
NO LLEGA A DIEZ PORQUE TODAVÍA NO SABE.

JUGUEMOS AL GATO Y LA SARDINA

1 Para hacer la sardina necesitamos una botella de plástico vacía, cordel, papeles de colores, cartulina, pegamento y tijeras.

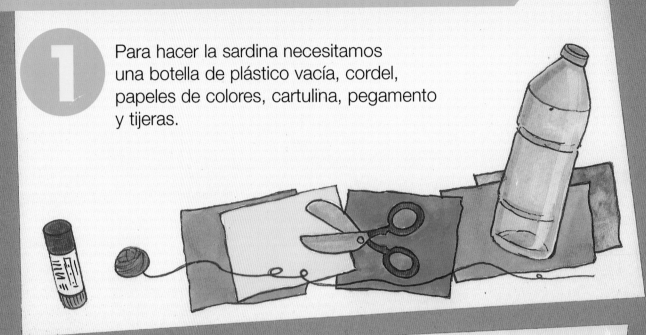

2 Agujereamos el tapón para pasar el cordel con el fin de poder tirar de la botella. Después la decoramos. Hacemos las orejas del gato con cartulina y les ponemos el cordel para sujetarlas en la cabeza.

3

Un jugador hace de gato, y otro de sardina.
El gato tiene que perseguir a la sardina.
Esta puede pasar la sardina a otro jugador
diciendo su nombre.

Entonces el gato debe perseguir a la nueva sardina.

4

Cuando atrapan al que
lleva la sardina, este pasa
a hacer de gato.

HABLEMOS DE... **LA INQUIETUD**

Los niños nacen con un temperamento determinado, por eso hay niños que son tranquilos y dóciles, y otros que son inquietos y rebeldes. A un niño de temperamento inquieto tenemos que tratarlo con una mezcla de firmeza y flexibilidad, y prestarle más atención y dedicación que a un niño más dócil. Es preciso tener siempre presente que les cuesta controlarse, pero eso no significa que no debamos darles normas claras para que sepan qué pueden hacer y qué no.

Hay que vigilar a estos niños algo más que a los otros; y, siempre que sea posible, deben evitarse las situaciones que puedan favorecer un comportamiento problemático. En todo caso, es preferible intervenir y parar a tiempo la travesura que no quejarnos y enfadarnos después.

Debemos procurar evitar los gritos y amenazas, ya que descontrolarnos no nos ayuda nada. Podemos decirle al niño que estamos enfadados y explicarle por qué, pero no debemos etiquetarle con adjetivos como malo, porque los puede incorporar a la imagen que tiene de sí mismo y actuar en consecuencia.

Siempre que sea posible tenemos que hacerle enmendar el error que ha cometido (si ha pegado, que pida perdón; si ha tirado algo al suelo, que lo recoja...), aunque tengamos que ayudarlo. Si estamos convencidos de que la mala acción merece un castigo porque ha transgredido una norma claramente establecida, debemos imponérselo sin vacilar: unos minutos sin moverse en un rincón suelen ser suficientes para los más pequeños.

Cuando el niño se porte bien, debemos felicitarle efusivamente. Es preciso tener en cuenta que los elogios son fundamentales para mejorar el comportamiento; tenemos que intentar que haya más elogios que castigos. Es bueno que siempre que podamos "sorprendamos" al niño cuando se porta bien.